PLANTU

PAS NETTE, LA PLANÈTE !

La Découverte / **Le Monde**

Coordination : **DANIEL JUNQUA**
Conseiller technique : **JEAN-PIERRE GIOVENCO**
© Editions la Découverte et journal *le Monde,* Paris, 1984
ISBN : 2-7071-1495-2

Préface

Il serait ridicule de présenter Plantu aux lecteurs du *Monde*. Outre que ses dessins leur sont devenus aussi familiers — et indispensables — que leur tasse de café, il en est, avec cette *Planète pas nette* à son sixième recueil.

Le titre délimite le sujet, à vrai dire assez vaste, puisqu'il n'exclut guère que les péripéties de la vie politique française. Les grandes puissances, leurs armements, leurs tumultueuses relations, la manière dont elles écrasent les petits, c'est là une matière d'autant plus inépuisable que l'actualité se charge chaque jour de la renouveler.

Plantu la traite à sa manière, tout à fait particulière, puisqu'à la différence de beaucoup d'autres qui se font gloire de leur cruauté, c'est un caricaturiste qui a du cœur : un peu comme jadis Jean Effel, trop rond pour être jamais féroce. Le trait de Plantu est plus... pointu, mais il n'est pas de ceux qui, bien qu'elle n'ait jamais été autant à la mode, se satisfont de la dérision. On le sent constamment en quête d'espoir. Regardez ses personnages : le pire tueur garde toujours un air d'innocence. Et Walesa, comme Jean-Paul II, dans le beau dessin où on les voit échanger leurs tenues, ont des regards véritablement angéliques.

L'absurdité, plus que la vraie méchanceté, gouverne le monde vu par Plantu, et sans doute a-t-il raison. Et c'est ce qui explique que les humbles, et pour commencer ceux du tiers-monde, qu'il met si bien en scène, aient l'air plus souvent attristé que révolté. Comme s'ils nous plaignaient, plus qu'autre chose, de nous désintéresser d'eux, de nous empiffrer pendant qu'ils crèvent de faim.

Un tel parti pris pourrait engendrer quelque mièvrerie. Mais notre ami est tout à fait indemne de ce mal qui frappe si facilement les bonnes consciences. Il sait que l'ironie la plus forte est l'ironie tranquille : pourquoi en rajouter ? Aussi ne compte-t-on pas, dans *Pas nette, la planète,* les dessins qui mériteraient de figurer dans une anthologie de ce temps.

Auquel donner la palme ? On n'a que l'embarras du choix, mais celui-ci est peut-être le plus révélateur de la tendresse profonde de l'auteur : il montre deux amoureux enlacés, lui soldat, elle soldate. Non seulement chacun a son fusil sur le dos, mais ils portent casque et masque à gaz. Difficile de s'embrasser, dans ces conditions.

Qu'on puisse s'embrasser en paix, n'est-ce pas tout ce que demande le bon Plantu ? Qui ne le demanderait avec lui ?

ANDRÉ FONTAINE.

Sommaire

I
Est-Ouest
rien de nouveau

« Une guerre nucléaire ne peut être gagnée et ne doit jamais être livrée. »
REAGAN (25-1-1984).

« Pour les Soviétiques, le principal souci est aujourd'hui d'écarter la menace de guerre nucléaire. »
IOURI ANDROPOV (RÉPONSE A L'« APPEL DES CENT », JANVIER 1984).

EST-OUEST RIEN DE NOUVEAU

16 octobre 1981 : le président Reagan évoque la possibilité d'une guerre nucléaire limitée à l'Europe *« sans que cela amène l'une des grandes puissances à appuyer sur le bouton »*.

Après le déploiement en Europe de missiles soviétiques SS 20, le conseil atlantique décide en 1979 l'installation de fusées Pershing dans plusieurs pays de l'OTAN.

21 décembre 1982 : Iouri Andropov propose aux États-Unis une réduction réciproque « *de plus de 25 %* » des armements stratégiques des deux super-puissances.

« *Les Etats-Unis ont ajouté à leur arsenal l'équivalent d'une bombe d'Hiroshima toutes les trente minutes depuis la dernière guerre mondiale, jour et nuit, sept jours par semaine depuis trente-huit ans.* »
INSTITUT SUÉDOIS DE RECHERCHES POUR LA PAIX (1983).

16 janvier 1984 : accusé d'homosexualité, le général Gunther Kiessling, plus haut gradé de la Bundeswehr et commandant en chef adjoint des forces de l'OTAN en Europe, porte plainte contre X... pour diffamation après avoir été limogé le 31 décembre 1983 par le ministre de la défense ouest-allemand.

« L'armée n'encourage pas les carrières des homosexuels (...) car leurs subalternes pourraient mettre en cause leur autorité. »
COMMUNIQUÉ DE LA BUNDESWEHR (JANVIER 1984).

Août 1984 : Moscou dénonce les tentatives de rapprochements entre l'Allemagne de l'Est et l'Allemagne fédérale.
« Le revanchisme est en train de renaître sur le Rhin. »

AGENCE TASS (12-8-1984).

18 novembre 1981 : le président Reagan propose l' « *option zéro* », c'est-à-dire le démantèlement par l'Union soviétique des engins SS 20 en échange de la renonciation par l'OTAN à l'installation des Pershing en Europe.
« *Propagande pure* », répond l'agence Tass.

« Je viens de signer une loi bannissant la Russie pour toujours (...). Le bombardement va commencer dans cinq minutes. »

PLAISANTERIE DU PRÉSIDENT REAGAN (14-8-1984).

« *Les armes nucléaires n'ont aucune espèce de but militaire. Elles sont totalement inutiles, sauf pour dissuader l'adversaire de les employer.* »
ROBERT McNAMARA (22-9-1983).

Bavure

BAVURE

31 août 1983 : un Boeing des Korean Air Lines, qui s'était écarté de sa route, est abattu par la chasse soviétique : 269 morts.

Après que M. Gromyko eut *« repéré les signes d'une possible catastrophe aérienne »,* l'agence Tass a précisé que les chasseurs soviétiques avaient *« mis un terme au vol »* du Boeing sud-coréen (2-9-1983).

BAVURE

9 septembre 1983 : entretien plutôt froid à Paris entre Andrei Gromyko et François Mitterrand.

« Toujours plus »

« La pièce maîtresse de la stratégie de dissuasion en France, c'est le chef de l'Etat, c'est moi. »

FRANÇOIS MITTERRAND (16-11-1983).

« TOUJOURS PLUS »

La France a exporté en 1982 des armes pour une valeur de 41,6 milliards de francs. Les deux tiers de ces armes sont vendues au Maghreb et au Proche-Orient.

« La politique d'exportation d'armement visera à introduire un certain degré de moralisation dans ce type de commerce. »

CHARLES HERNU (10-11-1981).

« TOUJOURS PLUS »

Le total des dépenses militaires dans le monde a atteint en 1981 entre 600 et 650 milliards de dollars, soit environ 112 dollars par habitant (600 francs), équivalant la même année au PNB par habitant du Tchad.

Les pays sous-développés ont dépensé en 1981 pour leur armement quelque 80 milliards de dollars, soit deux fois plus qu'en 1972.

« TOUJOURS PLUS »

Fichez-nous la paix !

FICHEZ-NOUS LA PAIX !

« Le parti socialiste allemand a toujours compté des pacifistes dans ses rangs sans se définir pour autant comme un parti pacifiste. »

WILLY BRANDT (15-2-1984).

22 et 23 octobre 1983 : manifestations contre les armements nucléaires en Europe de l'Ouest. Elles rassemblent 700 000 personnes en Allemagne fédérale, 500 000 à Rome, 230 000 à Londres, 100 000 à Madrid et à peine 30 000 à Paris.

FICHEZ-NOUS LA PAIX !

« *L'objectif d'un gouvernement de gauche restera la renonciation à l'arme nucléaire.* »

CONVENTION NATIONALE DU PARTI SOCIALISTE (JANVIER 1978).

« *Je suis contre les euromissiles, mais je constate des choses tout à fait simples : le pacifisme est à l'Ouest et les euromissiles à l'Est.* »

FRANÇOIS MITTERRAND (13-10-1983).

Soixante-dixième anniversaire de l'assassinat de Jean Jaurès. « *Depuis cette épo-que, j'ai toujours vécu dans ce souvenir tragique et admirable, celui de Jean Jaurès.* »

FRANÇOIS MITTERRAND (31-7-1984).

FICHEZ-NOUS LA PAIX !

« Je rejette l'analyse manichéenne qui consisterait à dire que le pacifisme euro-péen serait le mal tandis que l'esprit de défense serait le bien. »

LIONEL JOSPIN (19-11-1983).

« Les Etats ne peuvent pratiquer la « non-violence évangélique ».
ASSEMBLÉE DES ÉVÊQUES A LOURDES (8-11-1983).

II
L'empire soviétique

27 décembre 1979 : l'armée soviétique (80 000 hommes) envahit l'Afghanistan et installe au pouvoir Babrak Karmal, qui promet de *« respecter les principes sacrés de l'Islam »*.

« Un calme total règne dans tout le pays (...). L'armée contrôle totalement la situation. »

RADIO-KABOUL (29-12-1979).

L'INVASION DE L'AFGHANISTAN

28 janvier 1980 : une délégation de la CGT en mission à Kaboul affirme que « *les militants et les ouvriers afghans approuvent l'intervention soviétique* ».

L'INVASION DE L'AFGHANISTAN

19 juin 1983 : une « fête de la Paix » est organisée à Vincennes par le PCF et la CGT.

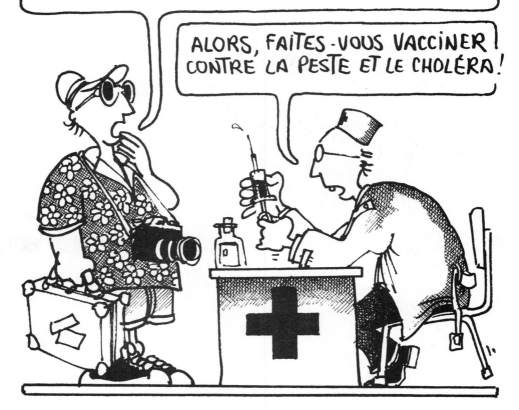

La Pologne « normalisée »

LA POLOGNE NORMALISÉE

22 septembre 1980 : création d'une *« union à caractère fédératif »* baptisée Solidarité. Elle sera présidée par Lech Walesa.

5 septembre 1981 : premier congrès de Solidarité. *« C'est une orgie antisocialiste et antisoviétique. »*

AGENCE TASS (8-9-1981).

LA POLOGNE NORMALISÉE

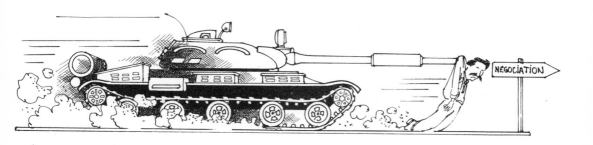

13 décembre 1981 : le général Jaruzelski proclame l'« état de guerre » en Pologne et fait arrêter les leaders de Solidarité, dont Lech Walesa.

8 novembre 1982 : libération de Lech Walesa. Le porte-parole du gouvernement fait savoir que Lech Walesa « *n'est plus qu'une personne privée* ».

31 décembre 1982 : suspension de l'état de guerre.

15 000 polonais sont actuellement réfugiés politiques en France.

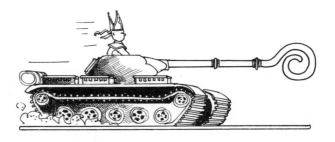

16 au 23 juin 1983 : visite en Pologne du pape Jean-Paul II. Il déclare : « *Mon cri sera le cri de toute la patrie.* »

Les voyages du pape en Afrique.

Au pays des soviets

Avril 1982 : après une « *légère congestion* », Leonid Brejnev prend des « *vacances d'hiver* ». Les rumeurs sur une détérioration de l'état de santé du numéro un soviétique « *ne correspondent pas à la réalité* », déclare un porte-parole du ministère des affaires étrangères.

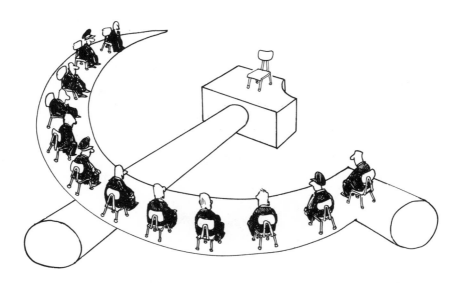

10 novembre 1982 : mort de Leonid Brejnev.

AU PAYS DES SOVIETS

12 novembre 1982 : Iouri Andropov est élu secrétaire général du PCUS.

7 novembre 1983 : Iouri Andropov souffre officiellement d'un « refroidissement ».

AU PAYS DES SOVIETS

9 février 1984 : mort de Iouri Andropov.

11 avril 1984 : Constantin Tchernenko est élu président du Soviet suprême.

23 août 1984 : Constantin Tchernenko est hospitalisé pour troubles cardiaques, mais son état n'inspire, selon les dirigeants soviétiques, *« aucune préoccupation sérieuse »*.

AU PAYS DES SOVIETS

« Le goulag, c'est un style de prison. Chez nous on dit : prison, chez eux (en U.R.S.S.) on dit : goulag. »

GEORGES MARCHAIS (20-1-1984).

« Je préférerais que mes deux filles, aimées plus que tout au monde, meurent maintenant dans la foi en Dieu plutôt que de grandir sous le communisme. »
RONALD REAGAN (30-1-1984).

2 mai 1984 : Andreï Sakharov, prix Nobel de la paix, exilé à Gorki, entame une grève de la faim.

18 juin 1984 : trois détenus turcs meurent à la suite d'une grève de la faim.

20 au 23 juin 1984 : François Mitterrand se rend en URSS. Dans son discours prononcé au Kremlin, mais censuré par «la Pravda», M. Mitterrand évoque le « *cas du professeur Sakharov* ».

En URSS, la population urbaine est passée en neuf ans de 136 à 163,6 millions de personnes, soit 20 % d'augmentation. Le nombre des ruraux a diminué de 6,5 %.

III
L'empire américain

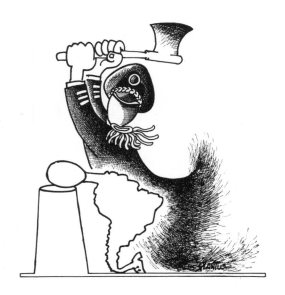

Nomination de Henry Kissinger à la tête de la commission nationale bipartite pour l'Amérique centrale le 18 juillet 1983. *« Henry Kissinger est une figure de légende de la diplomatie. »*

RONALD REAGAN (18-7-1983).

24 mars 1981 : le Congrès américain approuve définitivement une aide militaire supplémentaire de 25 millions de dollars accordée au Salvador.

SALVADOR

« *La vérité est que la morale et la politique sont inséparables. La religion étant le fondement de la morale, religion et politique sont nécessairement liées.* »
RONALD REAGAN (23-8-1984).

L'EMPIRE AMÉRICAIN

« J'envoie un salut au peuple d'Amérique du Nord. Nous avons besoin de nous connaître pour que la vie de notre continent soit faite de coopération. Les peuples latino-américains et ceux du Nord doivent être comme des frères qui prennent soin ensemble du continent, les yeux tournés vers le Pacifique et l'Atlantique. Cela veut dire qu'aucun ne doit chercher à attenter à la liberté ou à l'indépendance de l'autre. »

AUGUSTO CESAR SANDINO (3-2-1933).
(Un an plus tard, le 21 février 1934, Augusto Cesar Sandino était assassiné.)

Juillet 1979 : victoire des sandinistes au Nicaragua.

« *Le Nicaragua aide les Soviétiques et Cuba à déstabiliser la région, du canal de Panama au Mexique.* »

« *L'incendie est dans le jardin des Etats-Unis.* »

RONALD REAGAN (27-4-1983).

25 avril 1984 : le Nicaragua porte plainte contre les Etats-Unis devant la Cour internationale de justice de La Haye après le minage par la CIA des ports nicaraguayens.

Concernant les dirigeants du Nicaragua, *« nous devons persuader et utiliser les pressions. Si cela ne marche pas, il est possible que nous ayons à faire quelque chose de plus (...). Une invasion du Nicaragua n'est pas impossible. »*
J.-F. WINDSOR, AMBASSADEUR DES ETATS-UNIS AU COSTA-RICA (21-11-1983).

23 octobre 1983 : double attentat à Beyrouth contre les soldats américains et français.

25 octobre 1983 : après l'assassinat du premier ministre de la Grenade, deux mille « marines » américains débarquent sur l'île et mettent ainsi fin à une *« colonie soviéto-cubaine dont on était en train de faire un bastion pour exporter la terreur et miner la démocratie ».*

RONALD REAGAN (27-10-1983).

« Les Etats-Unis interviennent à la Grenade pour liquider « un groupe brutal d'Apaches gauchistes. »

RONALD REAGAN (25-10-1983).

CHILI

Au Chili, la chute du PIB par habitant a été de 14,3 % et le chômage frappe en 1983 20,3 % de la population active.

Le général Pinochet annonce, le 11 mars 1984, un référendum pour *« poser les bases d'un retour à la démocratie ».*

Depuis mai 1983, au moins soixante-dix personnes ont trouvé la mort dans les affrontements qui ont opposé les forces de l'ordre et les mouvements de protestation pacifique organisés par l'opposition chilienne.

« Aujourd'hui, on m'attaque, mais, plus tard, on se souviendra de moi comme de l'homme qui a combattu le communisme et qui a bien travaillé pour son pays. »
GÉNÉRAL PINOCHET (8-8-1984).

En octobre 1983, la situation économique de l'Argentine est catastrophique. Ses dettes extérieures sont supérieures à 40 milliards de dollars. La hausse des prix dépasse 230 % et le quart de la population active est au chômage.

30 octobre 1983 : victoire de Raul Alfonsin, candidat du Parti radical, aux élections générales. Ces élections mettent fin au régime militaire instauré par le coup d'Etat du 24 mars 1976.

BRÉSIL

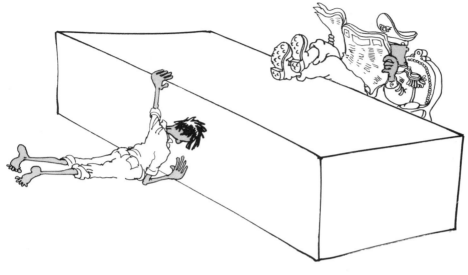

10 avril 1984 : un million et demi de personnes manifestent à Rio-de-Janeiro pour le rétablissement du suffrage universel.

LE PAPE EN AMÉRIQUE CENTRALE

2 au 9 mars 1983 : voyage du pape Jean-Paul II en Amérique centrale. A San-José au Costa-Rica il déclare : *« L'Église rejette les valeurs matérialistes du capitalisme comme celles du collectivisme. »*

Alors que six jeunes gens ont été exécutés le 3 mars au Guatemala pour *« activités subversives »*, le pape exprime *« son immense peine et sa douleur »*.

IV
Le Liban déchiré

6 juin 1982 : opération « Paix en Galilée ». Israël envahit le Liban (où stationnent 40 000 soldats syriens et 15 000 membres armés de l'OLP). Le 10 juin, l'armée israélienne est aux portes de Beyrouth. Le président Reagan « somme » Jérusalem d'arrêter son offensive. Beyrouth est très violemment bombardée par terre, air et mer.

Juillet 1982 : le gouvernement israélien critique violemment la presse française.

Août 1982 : les Palestiniens évacuent Beyrouth-Ouest. Le 30 août, Yasser Arafat quitte la capitale libanaise.

9 septembre 1982 : le sommet arabe de Fès « *condamne énergiquement l'agression israélienne contre le Liban* ».

LE DÉPART DES PALESTINIENS

15 septembre 1982 : Yasser Arafat est reçu à Rome par le pape Jean-Paul II.

SABRA ET CHATILA

15 septembre 1982 : plusieurs centaines de civils palestiniens sont massacrés dans les camps de Sabra et de Chatila à Beyrouth-Ouest à 200 mètres des lignes israéliennes.

24 novembre 1982 : la commission d'enquête israélienne sur les massacres de Sabra et de Chatila met en cause le premier ministre, Menahem Begin, et le ministre de la défense, Ariel Sharon.

11 février 1983 : Ariel Sharon, qui a accepté de démissionner de ses fonctions de ministre de la défense, est nommé ministre sans portefeuille.

17 mai 1983 : accord israélo-libanais. *« Israël s'engage à retirer toutes ses forces armées du Liban. »*

9 mai 1983 : mutinerie de fedayin au Liban contre Yasser Arafat.

21 juin 1983 : Yasser Arafat dénonce « *l'agression syro-libyenne contre la révolution palestinienne dans la plaine libanaise de la Bekaa* ».

24 juin 1983 : Yasser Arafat est expulsé de Damas.

Août et septembre 1983 : de très violents affrontements opposent l'armée libanaise et des miliciens progressistes à Beyrouth-Ouest.

LE LIBAN DÉCHIRÉ

« Car la violence faite au Liban te submergera ».

LA BIBLE (Habbaquq II, 17).

LE LIBAN DÉCHIRÉ

23 octobre 1983 : deux attentats font près de trois cents morts à Beyrouth parmi les soldats américains et français de la force multinationale.

17 novembre 1983 : huit Super-Etendard français prennent pour cible un cantonnement de milices chiites situé à Baalbek. François Mitterrand avait annoncé à Antenne 2 que l'attentat du 23 octobre « ne resterait pas impuni ».

« La France, au Liban, n'a pas d'ennemis. »

CHARLES HERNU (27-12-1983).

20 décembre 1983 : Yasser Arafat et plus de quatre mille combattants palestiniens sont évacués de Tripoli.

« Il ne faut pas permettre à Arafat de partir vivant de Tripoli. »
ARIEL SHARON (décembre 1983).

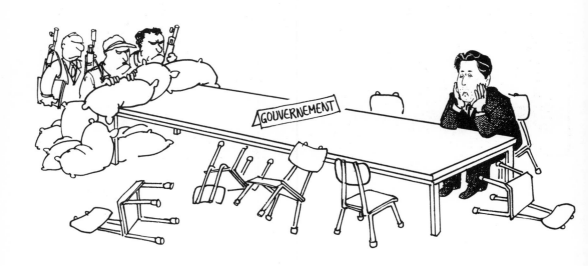

5 mars 1984 : démission du gouvernement libanais de Chafic Wazzan.

5 mars 1984 : après le voyage à Damas du président Gemayel, le gouvernement de Beyrouth annule l'accord israélo-libanais.

LE LIBAN DÉCHIRÉ

7 mars 1984 : le président Reagan annonce le repli des « marines » américains de la force multinationale. Le contingent britannique quitte Beyrouth le 8 et l'italien le 20.

Les Etats-Unis ne sont pas en train de « prendre la tangente .»
RONALD REAGAN (22-2-1984).

Du 25 au 31 avril 1984 : les mille deux cent cinquante soldats français de la force multinationale quittent Beyrouth.

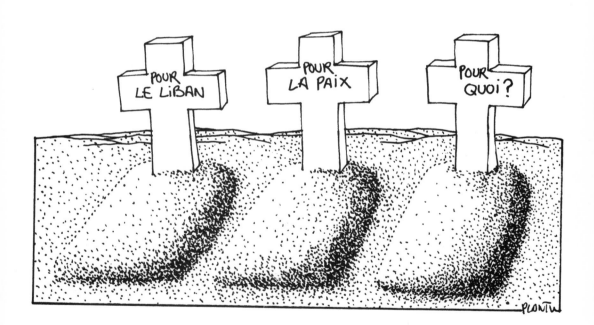

V
La révolution
des mollahs

Mars 1984 : selon Amnesty International, plus de cinq mille exécutions « officielles » ont eu lieu depuis le début de la révolution islamique du 11 février 1979.

LA RÉVOLUTION DES MOLLAHS

« J'ai déjà affirmé à plusieurs reprises que le clergé devait jouer un rôle de guide et ne devrait pas chercher à gouverner ou diriger l'État. »

L'IMAM KHOMEINY (2-9-1984).

Le Golfe en feu

22 septembre 1980 : le régime baasiste irakien lance une attaque surprise contre l'Iran. Les combats dégénèrent en l'une des guerres les plus meurtrières qu'ait connues le Proche-Orient. En 1983, le nombre de tués serait de deux cent cinquante mille combattants iraniens et de cent dix mille combattants irakiens.

« Il n'est pas une seule école, une seule ville, qui soit exemptée de ce bonheur de faire la guerre, de boire le savoureux élixir de la douce mort du martyr, afin de vivre éternellement au paradis. »

JOURNAL « ÉTEELAT » DE TÉHÉRAN (5-4-1983).

Mai et juin 1984 : raids aériens irakiens et iraniens contre les pétroliers naviguant dans le golfe Persique.

VI
La planète oubliée

En 1984, 2 milliards d'êtres humains sont privés d'accès à l'eau potable, 450 millions souffrent de la faim.

LA PLANÈTE OUBLIÉE

« *Dans les prochaines décennies, le monde dépendra de plus en plus des exportations agricoles américaines. Le pouvoir et l'influence des États-Unis auprès des nations souffrant d'un déficit alimentaire iront croissant. En période de pénurie, les États-Unis seront même placés devant des choix difficiles quant à la répartition de leurs surplus entre pays également affamés.* »

RAPPORT DE LA CIA (CITÉ DANS BUSINESS WEEK EN 1977).

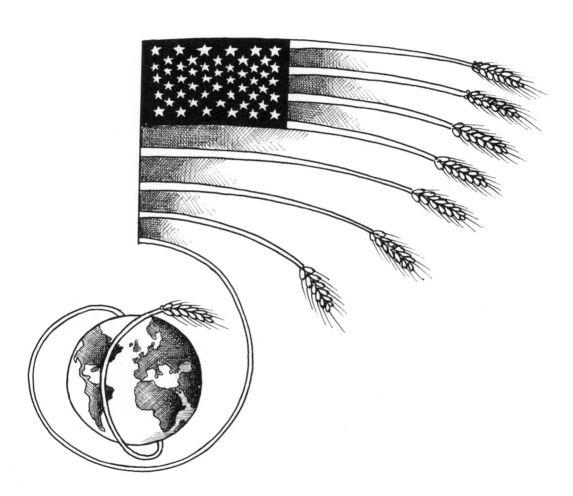

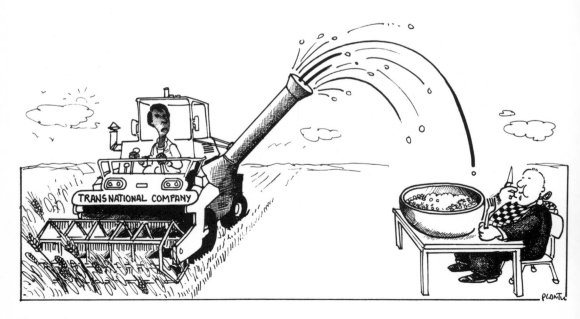

LA PLANÈTE OUBLIÉE

LA PLANÈTE OUBLIÉE

« La misère tue 40 000 enfants chaque jour ! »
JAMES GRANT, DIRECTEUR EXÉCUTIF DE L'UNICEF (6-7-1983).

« *Tous les hommes sont égaux, mais les gens de Madagascar ne le savent pas encore.* »

VOLTAIRE.

LA PLANÈTE OUBLIÉE

« *Tous les pays que je connais prennent leurs décisions économiques en fonction, avant tout, de ce qu'ils pensent être le meilleur moyen de développer leur propre économie. Ce ne sont pas les considérations internationales qui les guident.* »
JEANE KIRKPATRICK, AMBASSADEUR DU PRÉSIDENT REAGAN AUPRÈS DES NATIONS UNIES (juin 1984).

GRÈVE DE LA FAIM ?
DISSIDENTS ANTI-SOVIÉTIQUES ?

NON   NON

ON VOUDRAIT BIEN LES AIDER
MAIS ILS NE FONT PAS BEAUCOUP D'EFFORTS !

PLANTU

LA PLANÈTE OUBLIÉE

28 septembre 1983 : discours de François Mitterrand devant l'Assemblée générale de l'ONU.

1er janvier 1984 : en Tunisie, de violentes manifestations faisant suite aux augmentations du prix du pain font au moins soixante-quinze morts.

19 février 1984 : Au Maroc, les émeutes causées par l'augmentation des produits de premières nécessités font 29 morts « officiellement », et 400 morts selon les organisations d'opposants à Paris.

Décembre 1983 : la dette extérieure du Mexique est de 90 milliards, celle de la France est de 50 milliards et celle des Etats-Unis est de 1 360 milliards.

LA PLANÈTE OUBLIÉE

19 mai 1984 : alors que la hausse des taux d'intérêt aux Etats-Unis accroît le coût de leurs dettes (240 milliards de dollars), les présidents de l'Argentine, du Brésil, de la Colombie et du Mexique lancent un appel solennel et refusent d'*« d'être acculés à une situation d'insolvabilité forcée et de paralysie économique prolongée »*.

« Les Etats-Unis risquent de devenir, en 1985, « le plus grand emprunteur mondial ». Le pays « joue à la roulette russe (...). Nul ne peut prévoir quand le coup partira. »

PAUL VOLCKER, PRÉSIDENT DE LA RÉSERVE FÉDÉRALE (mars 1984).

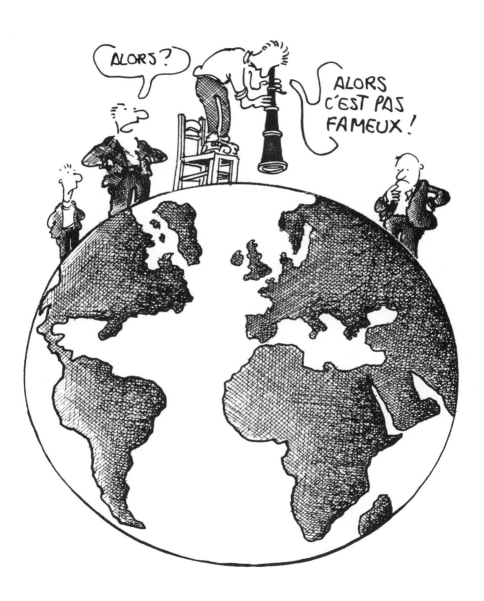

141

La plupart de ces dessins ont paru dans *le Monde, le Monde diplomatique* et *le Monde de l'éducation.*

Les autres dessins proviennent de TF1 « Droit de réponse », Antenne 2 « Résistances », *Témoignage chrétien, Croissance des jeunes nations, Actuel développement,* l'*Etudiant, Phosphore, la Vie* et des éditions Plon.

Les dates, titres et citations ont été établis à partir de la documentation du *Monde,* de l'*Encyclopaedia Universalis* et de l'*Etat du monde* (La Découverte).

Index

CET OUVRAGE A ÉTÉ REPRODUIT ET ACHEVÉ D'IMPRIMER
EN OCTOBRE 1984
PAR L'IMPRIMERIE FLOCH À MAYENNE
NUMÉRO D'IMPRIMEUR : 22363
PREMIER TIRAGE : 30 000 EXEMPLAIRES
DÉPÔT LÉGAL : OCTOBRE 1984
ISBN 2-7071-1495-2